Aventuras de DON QUIJOTE

EDITORIAL EVEREST, S. A.

MADRID • LEON • BARCELONA • SEVILLA • GRANADA • VALENCIA
ZARAGOZA • LAS PALMAS DE GRAN CANARIA • LA CORUÑA
PALMA DE MALLORCA • ALICANTE – MEXICO • BUENOS AIRES

ADAPTACION:
Santiago García Alvarez

DIBUJANTE:
Teo

SEXTA EDICIÓN

© EDITORIAL EVEREST, S. A.
Carretera León-La Coruña, km 5 - LEÓN
ISBN: 84-241-5412-6
Depósito legal: LE. 85-1992
Printed in Spain - Impreso en España

EDITORIAL EVERGRÁFICAS, S. A.
Carretera León-La Coruña, km 5
LEÓN (España)

INDICE

QUIÉN ERA DON QUIJOTE Y CÓMO SE ARMÓ CABALLERO

En un lugar de la Mancha, de cuyo nombre no quiero acordarme, vivía no hace mucho tiempo un hidalgo de los del antiguo estilo. Con él vivían un ama que no pasaba de los cuarenta y una sobrina que no llegaba a los veinte, además de un hábil mozo de campo y plaza.

La edad de nuestro hidalgo rondaba los cincuenta años; era de complexión recia, seco de carnes, enjuto de rostro, gran madrugador y amigo de la caza. Alonso Quijano era su nombre.

Este hidalgo, los ratos que estaba ocioso –que eran los más del año–, se daba a leer libros de caballería. Tanta era su afición a dichos libros que llegó a olvidarse de la caza y a descuidar la administración de su hacienda. Incluso vendió buena parte de sus tierras para adquirir todos los libros de caballerías que pudo.

Leía en aquellos libros cosas como ésta: "La razón de la sinrazón que a mi razón se hace, de tal manera mi razón se enflaquece, que con razón me quejo de vuestra hermosura."

Con estas razones perdía el pobre caballero el juicio. Enfrascado en sus lecturas, se le pasaban las noches y los días, viendo cada vez más

turbio lo claro y menos claro lo turbio. Y así, del poco dormir y del mucho leer se le secó el cerebro.

Su fantasía se llenó de todo lo que leía en los libros: de encantamientos y pendencias, de batallas y desafíos, de heridas y amores, de tormentos y disparates imposibles. Y todos estos disparates se convirtieron para él en la historia más cierta del mundo.

Rematado ya su juicio, en la cabeza se le metió el loco pensamiento de hacerse caballero andante. Le pareció que debía irse con sus armas y caballo a buscar aventuras que le diesen eterno nombre y fama.

Y lo primero que hizo fue limpiar unas armas que habían sido de sus bisabuelos, que desde hacía siglos estaban olvidadas en un rincón.

Fue luego a ver a su rocín, y aunque era éste flaco y desgarbado, le pareció que ni el Bucéfalo de Alejandro ni Babieca, el del Cid, le

igualaban. En su imaginación buscó un nombre que le fuese bien y, tras larga reflexión, le vino a llamar *Rocinante*.

Después, y durante ocho días, buscó otro nombre para sí. Al cabo de su deliberación se dío el de *Don Quijote*. Pero, acordándose que el valeroso Amadís no se había contentado con llamarse Amadís a secas, sino que añadió el nombre de su reino y patria, para hacerla famosa, y se llamó Amadís de Gaula, así quiso, como buen caballero, añadir al suyo el nombre de la suya y llamarse *Don Quijote de la Mancha*.

Limpias, pues, sus armas, puesto nombre a su rocin y confirmándose a sí mismo, entendió que no faltaba otra cosa sino buscar una dama de quien enamorarse.

Decíase él:

—Si yo me encuentro por ahí con algún gigante, y le derribo o le parto por la mitad del cuerpo, o finalmente le venzo y le rindo, ¿no será bien tener a quien enviarle, y que se hinque de rodillas ante mi señora, y diga con voz humilde: "—Yo, señora, soy el gigante Caraculiambro, señor de la ínsula Malindrania, a quien venció el jamás como se debe alabado Don Quijote de la Mancha?"

Buscó, pues, nuestro buen caballero nombre a su dama, que se encaminase al de princesa y gran señora, y vino a llamarla *Dulcinea del Toboso*.

Hechas estas prevenciones, sin avisar de sus planes y sin que nadie le viese, una mañana, en un día de los calurosos del mes de julio, se armó de todas sus armas, subió sobre Rocinante, y por la puerta falsa de un corral salió al campo.

¡Qué grandísimo era su contento, al ver con cuánta facilidad había dado principio a su deseo!

Mas apenas se vio en el campo, le asaltó un pensamiento terrible. Le vino a la memoria que no era armado caballero, y que, conforme a la ley de caballería, no debía tomar armas con ningún caballero.

Esto le hizo titubear y estuvo a punto de dejar la empresa. Pero su locura pudo más que cualquier otra razón. Propuso de hacerse armar

14

caballero del primero que topase, a imitación de otros muchos que así lo hicieron.

Con esto se tranquilizó y prosiguió su camino, sin llevar otro que aquel que su caballo quería.

Casi todo el día caminó sin que le aconteciese nada, y al anochecer su rocín y él se hallaron cansados y muertos de hambre.

Sin embargo, vio, no lejos del camino por donde iba, una venta. Dióse prisa, entusiasmado y llegó a ella a tiempo que anochecía.

Al estar frente a la venta, su imaginación le hizo ver que no era tal cosa sino un castillo con sus cuatro torres y chapiteles de reluciente plata, sin faltarle su puente levadizo y el hondo foso.

Había a la puerta dos mozas y Don Quijote, vistiéndolas en su imaginación de graciosas damas, se acercó ceremoniosamente a ellas. Las mujeres se asustaron un tanto al ver a un hombre de semejante facha, y, llenas de miedo, iban a entrar en la venta.

Pero Don Quijote les dijo:

—No huyan sus mercedes, ni teman atropello alguno, porque a la orden de caballería que profeso no toca, ni atañe, hacérselo a nadie, y menos a tan altas doncellas.

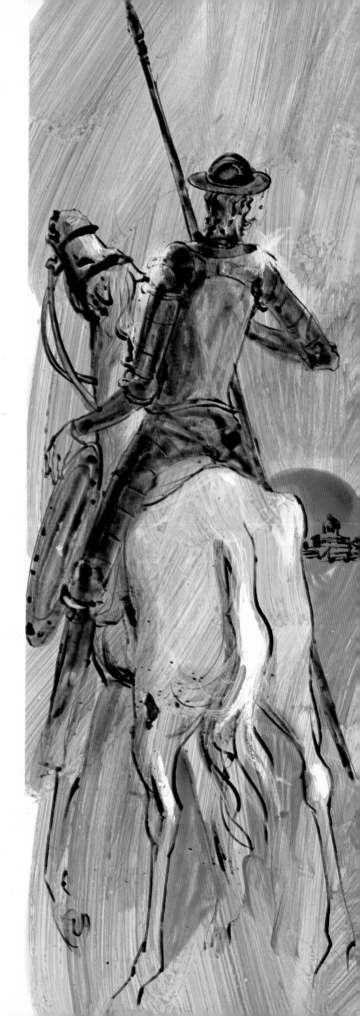

Al oírle las mozas hablar así, no pudieron contener la risa. El se sonrojó y les dijo:

—Mi deseo no es otro que el de servirles... Pero es mucha sandez la risa que de tan leve causa procede.

Ellas, al no entender sus palabras, se reían cada vez más, aumantando el enojo de Don Quijote.

Apareció entonces el ventero. Este, divertido por el aspecto del caballero, guardó, sin embargo, su risa y, por miedo a cualquier locura de aquél, le habló comedidamente:

—Si vuestra merced, señor caballero, busca posada...

Don Quijote respondió:

—Para mí, señor castellano, cualquier cosa basta, porque mis arreos son las armas, mi descanso el pelear.

—Siendo así —repuso el ventero—, vuestra merced bien se puede apear.

Don Quijote fue atendido por el ventero y las dos doncellas. Le dieron de comer, poco y mal, y se rieron mucho entre ellos de su pinta de loco.

Después de la cena, nuestro hidalgo se arrojó a los pies del ventero. Ante el asombro de éste, exclamó:

—No me levantaré jamás de donde estoy, hasta que vuestra cortesía me otorgue un don que quiero pedirle.

El ventero, dándose cuenta de que su huésped no andaba bien de la cabeza, le siguió la broma. Dijo que le otorgaría el don que le pedía.

—No esperaba yo menos —afirmó Don Quijote—. El don que os he pedido es que mañana me habéis de armar caballero, y esta noche en la capilla de este castillo velaré las armas.

Hubo de convencérsele de que no había capilla, y se dio orden para que velase las armas en un corral grande que estaba al lado de la venta. Las puso todas en una pila junto al pozo, una vez le hubieron llevado allí. Luego, tomó su escudo y su lanza y comenzó a pasear por delante de la pila.

Ya cerrada la noche, acudió un arriero a dar agua a sus animales. Para ello hubo de quitar las armas de Don Quijote de la pila.

—¡Oh tú, atrevido caballero! —exclamó éste, indignado—. Mira lo que haces, y no toques esas armas, si no quieres dejar la vida en pago de tu atrevimiento.

Como el arriero no hiciera caso, Don Quijote, soltando el escudo, alzó la lanza a dos manos, y le dio con ella tan gran golpe en la cabeza, que le derribó al suelo.

Hecho esto, recogió sus armas y volvió a pasearse con el mismo reposo que antes.

Poco después llegó otro arriero con la misma intención de dar agua a sus mulos. Cuando estaba quitando las armas de la pila, Don Quijote, sin hablar, golpeó con la lanza en la cabeza del hombre, partiendo lanza y cabeza.

Al ruido acudió toda la gente de la venta. Los compañeros de los heridos, al ver el estado de éstos, comenzaron desde lejos a arrojar piedras a Don Quijote. El se amparaba lo mejor que podía detrás del escudo, bramando contra ellos y llamándoles traidores malvados. Tan terribles eran sus gritos que los arrieros le tomaron temor. Entonces intervino el ventero, quien persuadió a Don Quijote, y los heridos fueron retirados.

Sin embargo, no le parecieron bien al ventero las burlas de su huésped. Determinó abreviar y darle la orden de caballería que pedía antes que otra desgracia sucediese.

Se acercó pues a Don Quijote y le convenció de que ya había cumplido lo de velar las armas, pues con dos horas se cumplía y él había estado más de cuatro. Parecióle maravillosamente a Don Quijote y contestó que estaba listo. Se hicieron los preparativos; el ventero vino con un libro y trajo consigo a las dos doncellas y a un muchacho con un cabo de vela en la mano. Mandó a Don Quijote ponerse de rodillas; y, leyendo en su libro, a mitad de la lectura alzó la mano y le dio un buen golpe en el cuello, y después, con su misma espada, un gentil espaldarazo. Y mientras murmuraba entre dientes como rezando.

Luego mandó a una de las damas que le pusiese la espada; y la otra le calzó las espuelas.

La ceremonia se hizo con toda gravedad, aunque a todos les resultó muy difícil contener la risa.

Terminado el acto, Don Quijote, al verse definitivamente ya armado caballero, se apresuró a partir en busca de aventuras. En seguida ensilló a Rocinante. Abrazó al ventero y le agradeció, con una gentileza

exagerada, la merced que le había hecho. El ventero, por verle ya fuera de la venta, le respondió en el mismo tono, y, sin pedirle el precio de la posada, le dejó ir en buena hora.

El ventero había llamado la atención de Don Quijote sobre dos cosas que se le habían pasado por alto: llevar prevenciones tan necesarias como dineros y camisas limpias. Así, Don Quijote al salir de la venta, rayando ya el alba, se encaminó hacia su aldea. Pensaba también hacerse con un escudero, y se acordaba de un labrador vecino suyo, pobre y con hijos, pero muy a propósito para el oficio.

Pero, por el camino, se topó con un grupo de personas, que en realidad eran mercaderes toledanos, pero que en su imaginación se le aparecieron como caballeros andantes y rivales suyos. Apenas los divisó, se imaginó que era cosa de una aventura. Y por imitar lo que había leído en los libros, preparó lanza y escudo y apostó a Rocinante en mitad del camino.

Cuando llegaron a aquel lugar los mercaderes, levantó la voz y, con ademán arrogante, dijo:

—Todo el mundo se tenga, si todo el mundo no confiesa que no hay en el mundo todo, doncella más hermosa que la Emperatriz de la Mancha, la sin par Dulcinea del Toboso.

20

Los mercaderes, parados ante la figura esperpéntica que así les hablaba, pronto comprendieron la locura de su dueño. Y uno de ellos, que era un poco burlón, dijo a Don Quijote:

—Señor caballero, nosotros no conocemos a esa buena señora. Mostrádnosla y, si es tan hermosa como decís, de buena gana confesaremos la verdad.

—Lo importante —replicó Don Quijote— está en que sin verla lo habéis de creer, confesar, jurar, defender.

—Señor caballero —replicó el mercader—, suplico a vuestra merced que nos muestre algún retrato de esa señora, aunque sea del tamaño de un grano de trigo. Así podremos satisfacer a vuestra merced, pues aunque en su retrato nos muestre que es tuerta de un ojo, por complaceros diremos en su favor todo lo que quisiere.

—Canalla infame —respondió Don Quijote encendido de cólera—.
Pagaréis la gran blasfemia que habeis dicho.

Y diciendo esto, arremetió con la lanza baja contra el que lo había
dicho, lleno de furia y enojo. Pero a mitad de camino tropezó Rocinante y cayó, y con el caballo fue rodando su amo. Su armadura no le
permitía ponerse en pie, pero él seguía gritando desde el suelo:

—No huyáis, gente cobarde.

Un mozo de mulas, de los que acompañaban a los mercaderes,
oyendo tales arrogancias del caído, recogió la lanza, la hizo pedazos y
con uno de ellos comenzó a dar a nuestro caballero tantos palos que le

22

molió a pesar de la armadura.

Cuando se cansó el mozo de pegar, los mercaderes reemprendieron el camino.

Don Quijote, molido y casi deshecho, no podía mover un dedo. Pero quiso la suerte que acertó a pasar por allí un labrador de su mismo lugar, vecino suyo, que venía de llevar una carga de trigo al molino. Cuando conoció al caído, dijo:

—Señor Quijano, ¿quién ha puesto a vuestra merced de esta manera?

A continuación, con no poco trabajo, le subió sobre su jumento. Recogió las armas, hasta las astillas de la lanza, y las ató a Rocinante.

Anochecía ya cuando llegaron a la aldea, y el labrador, cuyo nombre era Pedro Alonso, llevó a Don Quijote a su casa. Estaban allí, además del ama y la sobrina, el cura y el barbero del lugar, que eran grandes amigos de Don Quijote.

Todos corrieron a abrazarle. Luego le llevaron a la cama. Le hicieron mil preguntas, pero él no respondió a ninguna. Pidió de comer y que le dejasen dormir.

Fue el labrador quien contó cómo le había hallado. Entonces, todos decidieron que lo mejor sería quemar los libros que habían llevado a la locura a nuestro hidalgo. Entraron en el aposento donde estaban los

libros, y echaron al fuego la mayor parte de ellos, salvándose algunos porque eran verdaderamente buenos y no merecían tal destino.

Dos días después se levantó Don Quijote. Lo primero que hizo fue ir a ver sus libros. Al no encontrarlos, le preguntó al ama.

—Ya no hay libros en esta casa —le contestó ella—. Todo se lo llevó el mismo diablo.

—No era el diablo —replicó la sobrina—. Fue un encantador que vino sobre una nube una noche.

Y Don Quijote, no recuperado de su fantasía, dio por bueno el argumento. Dijo:

—Así es. Ese es un sabio encantador, gran enemigo mío.

LA AVENTURA DE LOS MOLINOS DE VIENTO

Quince días estuvo Don Quijote en casa muy tranquilo, sin dar muestras de querer volver a las andanzas. Sin embargo, llamó a un labrador vecino suyo y solicitó que fuese su escudero. Tanto le dijo y le prometió, que el pobre villano aceptó seguirle. Le dijo, entre otras cosas, que tal vez en alguna aventura ganase una ínsula y le dejase a él por gobernador de ella.

Con promesas como ésta, Sancho Panza, que así se llamaba el labrador, dejó a su mujer e hijos para servir de escudero a su vecino.

Dio luego Don Quijote orden de buscar dineros. Vendiendo una cosa, empeñando otra y malbaratándolas todas, reunió una razonable cantidad. Avisó a su escudero Sancho del día y la hora en que pensaba ponerse en camino; y sin despedirse Panza de sus hijos y mujer, ni Don Quijote de su ama y sobrina, una noche salieron del lugar sin que

27

los viese nadie. Y caminaron tanto esa noche, que al amanecer se tuvieron por seguros de que no los hallarían aunque los buscasen.

Iba Sancho Panza sobre su jumento como un patriarca, con sus alforjas y su bota, con mucho deseo de verse gobernador de la ínsula que su amo le había prometido.

—Mire vuestra merced —dijo a Don Quijote—, que no se olvide de lo de la ínsula; que yo la sabré gobernar por grande que sea.

—Si tú vives y yo vivo —respondió Don Quijote—, bien podría ser que antes de seis días ganase yo tal reino.

Iban hablando de esta cosa, y en esto descubrieron treinta o cuarenta molinos de viento que hay en aquel campo. Así como Don Quijote los vio, dijo a su escudero:

—La ventura va guiando nuestras cosas; porque ves allí, amigo Sancho Panza, donde se descubren treinta, o pocos más, desaforados gigantes, con quienes pienso hacer batalla y quitarles a todos las vidas.

—¿Qué gigantes? —dijo Sancho Panza.

—Aquellos que ves allí —respondió su amo—, de los brazos largos.

—Mire vuestra merced —respondió Sancho—, que aquellos no son gigantes, sino molinos de viento, y que lo que parecen brazos son las aspas.

Don Quijote replicó:

—Ellos son gigantes; y si tienes miedo, quítate de ahí, y ponte a rezar, que yo voy a entrar con ellos en fiera y desigual batalla.

Y diciendo esto, dio espuelas a su caballo Rocinante, sin atender a las voces de su escudero.

Iba diciendo a grandes voces:

—No huyáis, cobardes y viles criaturas; que un solo caballero es el que os acomete.

Se levantó en esto un poco de viento, y las grandes aspas comenzaron a moverse; lo cual visto por Don Quijote, dijo:

—Pues aunque mováis más brazos que los del gigante Briareo, me

lo habéis de pagar.

Y encomendándose de todo corazón a su señora Dulcinea, con la lanza en ristre, arremetió a todo el galope de Rocinante, y embistió con el primer molino, dándole una lanzada en el aspa. El viento volvió el aspa con tanta furia que hizo la lanza pedazos, llevándose tras sí al caballo y al caballero, que fue rodando muy maltrecho por el campo.

Acudió Sancho Panza a socorrerle, a todo el correr de su asno, y cuando llegó le halló que no se podía menear.

—¡Válgame Dios! —dijo Sancho—. ¿No le dije a vuestra merced que mirase bien lo que hacía, que no eran sino molinos de viento?

—Calla, amigo Sancho —respondió Don Quijote—; que aquel sabio Frestón, que me robó el aposento y los libros, ha vuelto estos gigantes en molinos por quitarme la gloria. Tal es la enemistad que me tiene.

Sancho Panza le ayudó a levantar y a subir sobre Rocinante. Y siguieron el camino de Puerto Lápice, porque allí decía Don Quijote que no era posible dejar de hallar muchas y diversas aventuras.

EL BÁLSAMO DE FIERABRÁS

Al día siguiente, Don Quijote y su escudero entraron en un bosque y, habiendo andado más de dos horas por él, vinieron a parar a un prado lleno de fresca hierba, junto al cual corría un arroyo apacible y fresco, tanto que convidó a pasar allí las horas de la siesta.

Apeáronse Don Quijote y Sancho, dejando al jumento y a Rocinante pacer a sus anchas la mucha hierba que allí había.

Ordenó entre tanto la suerte, y el diablo (que no todas veces duerme), que andaran paciendo por aquel valle una manada de jacas de unos arrieros yangüeses. Y sucedió que Rocinante se fue hacia ellas, que le recibieron a coces y a dentelladas, de tal manera que le rompieron las cinchas y quedó sin silla. Además, los arrieros acudieron con estacas, y tantos palos le dieron que le derribaron mal parado en el suelo.

Don Quijote y Sancho, que habían visto la paliza, llegaron jadeando.

—Amigo Sancho, bien me puedes ayudar a tomar la debida venganza —dijo Don Quijote.

—¿Qué diablos de venganza —respondió Sancho—, éstos son más de veinte, y nosotros no más de dos?

—Yo valgo por ciento —replicó Don Quijote.

Y sin hacer más discursos, echó mano a su espada y arremetió a los yangüeses. Lo mismo hizo Sancho Panza, incitado y movido del ejemplo de su amo.

Los yangüeses, que se vieron maltratar de aquellos dos hombres solos, acudieron a sus estacas, y cogiendo a los dos en medio, dieron pronto con Sancho en el suelo, y lo mismo sucedió a Don Quijote. Después de esto, los yangüeses cargaron su recua y siguieron su camino.

El primero que se resintió fue Sancho Panza. Hallándose junto a su señor, con voz enferma y lastimera, dijo:

—Señor Don Quijote. ¡Ah, señor Don Quijote!

—¿Qué quieres, Sancho hermano? —respondió Don Quijote con el mismo tono doliente.

—Querría, si fuese posible, que vuestra merced me diese dos tragos de aquella bebida del feo Blas. Quizá sea de provecho para los huesos rotos como lo es para las heridas.

—De tenerla yo aquí, ¿qué nos faltaría? —respondió Don Quijote—. Mas yo te juro que antes que pasen dos días la he de tener en mi poder. Pero dejemos eso ahora y saca fuerzas de flaqueza, Sancho. Veámos cómo está Rocinante.

Despidiendo treinta ayes y suspiros, y ciento veinte pestes y reniegos, se levantó Sancho. Aparejó su asno y levantó a Rocinante. Luego acomodó a Don Quijote sobre su asno, y se encaminó hacia donde le pareció que podía estar el camino real. Y la suerte le llevó hasta el camino, en el cual descubrió una venta.

Y en tanto porfiaba Don Quijote que era castillo, llegaron a ella.

El ventero, que vio a Don Quijote atravesado en el asno, le preguntó qué mal traía. Sancho le respondió que no era nada, sino que había dado una caída de una peña abajo.

Tenía el ventero una mujer caritativa, que se dolía de las calamidades de sus prójimos, y acudió a curar a Don Quijote. Le llevaron a una mala cama y le acostaron. La ventera, al ver a Don Quijote tan lleno de cardenales, dijo que aquello más parecían golpes que caída.

—No fueron golpes —dijo Sancho—; sino que la peña tenía muchos picos y cada uno le hizo un cardenal.

Junto al duro y estrecho lecho de su amo, hizo Sancho el suyo; pero aunque procuraba dormir, no se lo consentía el dolor de sus costillas; y Don Quijote, con el dolor de las suyas, tenía los ojos abiertos como una liebre.

No hubo bien amanecido el día cuando dijo Don Quijote a Sancho:

—Levántate, Sancho, si puedes; llama al alcaide de esta fortaleza y procura que me dé un poco de aceite, vino, sal y romero para hacer el bálsamo de la salud.

Sancho se levantó, doliéndole todos los huesos, y fue adonde estaba el ventero, el cual le proveyó de cuanto quiso.

Don Quijote formó un compuesto, mezclándolo todo y cociéndolo en una aceitera de hoja de lata. Luego dijo sobre la aceitera más de ochenta paternosters y otras tantas avemarías, salves y credos. A cada palabra acompañaba una cruz, a modo de bendición.

Quiso luego probar él mismo la virtud de aquel precioso bálsamo, y bebió de él. Apenas lo acabó de beber, cuando comenzó a vomitar, de manera que no le quedó cosa en el estómago. Con las ansias y agitación del vómito, le dio un sudor copiosísimo, por lo cual mandó que le arropasen y dejasen solo.

Quedóse dormido más de tres horas. Al despertar se sintió aliviadísimo. Y verdaderamente creyó que había acertado con el bálsamo de Fierabrás, y que con aquel remedio podía acometer, sin temor alguno, riñas, batallas y pendencias, por peligrosas que fuesen.

Sancho Panza le rogó que le diese lo que quedaba en la olla. La tomó a dos manos y bebió poco menos que su amo. Pero su estómago debía ser menos delicado que el de Don Quijote, y le dieron tantas ansias, con tantos trasudores y desmayos, que él pensó que era llegada su última hora.

Viéndose tan afligido y congojado, maldecía al bálsamo y al ladrón que se lo había dado.

AVENTURA DE LOS REBAÑOS

Don Quijote y Sancho emprendieron el camino. Sancho Panza iba dolido por la mala suerte que les acompañaba. Y se quejaba a su amo, diciendo:

—Lo que yo saco en limpio de todo esto es que estas aventuras que andamos buscando, al cabo nos han de traer tantas desventuras que no sepamos cuál es nuestro pie derecho.

Y hablando de esta manera iban, cuando vio Don Quijote que por el camino venía hacia ellos una grande y espesa polvareda. Se volvió a Sancho y le dijo:

—Este es el día, ¡oh, Sancho!, en que se ha de mostrar el valor de mi brazo. ¿Ves aquélla polvareda que allí se levanta? Pues es un copiosísimo ejército.

—Según eso —dijo Sancho—, deben ser dos; porque de esta otra parte se levanta otra polvareda igual.

Se volvió a mirar Don Quijote, y vio que así era. Alegrándose so-

bremanera, pensó que eran dos ejércitos que venían a embestirse y a encontrarse en mitad de aquella espaciosa llanura.

La polvareda que habían visto la levantaban dos grandes manadas de ovejas y carneros, las cuales, con el polvo, no se distinguieron hasta que llegaron cerca. Con tanto ahínco afirmaba Don Quijote que eran ejércitos, que Sancho lo creyó y le dijo:

—Señor, ¿pues qué hemos de hacer nosotros?

—¿Qué? —dijo Don Quijote—. Favorecer y ayudar a los menesterosos y desvalidos. Y has de saber, Sancho, que éste que viene de frente

lo conduce y guía el gran emperador Alifanfarón, señor de la gran isla Trapobana; y este otro que a mis espaldas marcha es el de su enemigo el rey de los garamantas, Pentapolín del Arremangado Brazo, llamado así porque siempre entra en las batallas con el brazo derecho desnudo.

—¿Pues por qué se quieren tan mal estos dos señores? —preguntó Sancho.

—Se quieren —respondió Don Quijote—, porque este Alifanfarón es un furibundo pagano, y está enamorado de la hija de Pentapolín, una hermosa señora cristiana. Su padre no se la quiere entregar al rey pagano.

—¡Por mis barbas —dijo Sancho—, si no hace muy bien Pentapolín, y le he de ayudar en lo que pueda!

—Harás lo que debes —dijo Don Quijote—; porque para entrar en batallas semejantes no se requiere ser armado caballero.

—Pero —respondió Sancho—, ¿dónde pondremos este asno para hallarle después de la refriega?

—Lo que puedes hacer —dijo Don Quijote— es dejarle suelto. Serán tantos los caballos que tendremos, después que salgamos vencedores, que hasta Rocinante corre el peligro de que lo cambie por otro. Pero estate atento y mira, que te quiero dar cuenta de los caballeros más principales que en estos ejércitos vienen.

—¡Pues, señor —exclamó Sancho—, yo no los veo! Quizá todo debe ser encantamiento.

—¿Cómo dices eso? —respondió Don Quijote—. ¿No oyes el relincho de los caballos, el tocar de los clarines, el ruido de los tambores?

—No oigo otra cosa —respondió Sancho—, sino muchos balidos de ovejas y carneros.

Y así era, porque ya llegaban cerca los rebaños.

—El miedo que tienes —dijo Don Quijote—, te hace que ni veas ni oigas a derechas. Retírate a una parte y déjame solo.

Diciendo esto, puso las espuelas a Rocinante y, puesta la lanza en ristre, bajo una costezuela, hacia los rebaños, como un rayo. Entró por medio del escuadrón de las ovejas, y comenzó a alancearlas con tanto coraje y denuedo como si de veras alanceara a sus mortales enemigos.

Los pastores y ganaderos que venían con la manada le daban voces de que no hiciese aquello. Pero viendo que no se les hacía caso, sacaron sus hondas y comenzaron a tirarle piedras como el puño.

Don Quijote no se daba cuenta de las piedras. Por todas partes decía:

—¿Dónde estás, soberbio Alifanfarón? Vente a mí, que un caballero solo soy.

Llegó en esto una peladilla de arroyo y, dándole en un lado, le hundió dos costillas. Don Quijote, viéndose tan maltrecho, creyó que estaba malherido, y acordándose de su licor, sacó la aceitera y bebió

de ella. Pero antes que acabase de beber, llegó otra almendra, que le dio en la mano y en la aceitera, tan de lleno que la hizo pedazos, llevándole de camino tres o cuatro dientes y muelas de la boca. Tales fueron los golpes, que le tiraron al suelo.

Llegaron hasta él los pastores y creyeron que le habían matado. Con mucha prisa recogieron su ganado, cargaron las reses muertas, que pasaban de siete y, sin averiguar otra cosa, se fueron.

Sancho había estado todo este tiempo sobre la cuesta, viendo las locuras que hacía su amo. Cuando los pastores se habían ido, bajó a socorrerle. Le encontró muy mal, aunque no había perdido el sentido. Y le dijo:

—¿No le decía yo, señor Don Quijote, que no eran ejércitos, sino manadas de corderos?

—Sancho, fue que aquel maligno sabio que me persigue, envidioso de la gloria que vio que yo había de alcanzar en esta batalla, ha vuelto los escuadrones enemigos en manadas de ovejas.

Estaba Sancho tan cerca que casi le metía los ojos en la boca; y fue a tiempo que ya había hecho efecto el bálsamo en el estómago de Don Quijote. Cuando Sancho le miraba la boca, arrojó de sí, más recio que una escopeta, todo lo que llevaba en el estómago y dio con todo ello en las barbas del compasivo escudero.

LA PENITENCIA DE DON QUIJOTE
EN SIERRA MORENA, Y LA PRINCESA MICOMICONA

Habían llegado Don Quijote y Sancho, después de mucho andar en busca de aventuras, hasta el paisaje montañoso de Sierra Morena. Hahablando unos ratos, en silencio otros, se fueron adentrando en lo más áspero de la montaña. Sancho, desconfiando de su suerte, llegado un momento, dijo:

—Señor, ¿es buena regla de caballería que andemos perdidos por estas montañas, sin senda ni camino?

—Calla, Sancho —dijo Don Quijote—; porque te hago saber que me trae por estas partes el deseo de hacer en ellas una hazaña con que he de ganar perpetuo nombre y fama.

47

—¿Es de muy gran peligro esa hazaña? —preguntó Sancho Panza.

—No, pero todo ha de estar en tu diligencia.

—¿En mi diligencia? —dijo Sancho.

—Sí —dijo Don Quijote—; porque si vuelves pronto de donde pienso enviarte, pronto se acabará mi pena y comenzará mi gloria.

"Quiero, Sancho, que sepas que el Amadís de Gaula fue uno de los más perfectos caballeros andantes. No he dicho bien; fue él solo el primero, el único, el señor de todos cuantos hubo en su tiempo en el mundo. Y una de las cosas en que más este caballero mostró su prudencia, valor, valentía, sufrimiento, firmeza y amor fue cuando se retiró, desdeñado de la señora Oriana, a hacer penitencia en la Peña Pobre. Y quiero que sepas que mi intención es ahora la de imitarle en esto.

—Me parece a mí —dijo Sancho—, que los caballeros que hicieron estas penitencias tuvieron causa alguna. Pero vuestra merced, ¿qué causa tiene para volverse loco?

—Ahí está el quid —respondió Don Quijote—. Loco soy, loco he de ser hasta tanto que tú vuelvas con la respuesta de una carta que contigo pienso enviar a mi señora Dulcinea.

Llegaron al pie de una montaña alta, que estaba sola entre otras muchas que la rodeaban. Corría por su falda un arroyuelo, y había a su alrededor un prado verde, muchos árboles silvestres, plantas y flores.

Este sitio escogió el Caballero de la Triste Figura para hacer su penitencia.

Se apeó de Rocinante y, sacando un cuaderno, —que entonces se decía libro de memoria—, con mucho sosiego se puso a escribir la carta. Cuanto acabó, llamó a Sancho y le dijo que se la quería leer para que se la aprendiese de memoria, si acaso se le perdiese por el camino.

A lo que respondió Sancho:

—Escríbala vuestra merced dos o tres veces ahí, en el cuaderno, y démelo que yo lo llevaré bien guardado.

Don Quijote le dijo que su señora Dulcinea no era otra que su vecina, Aldonza Lorenzo de nombre. También le firmó una libranza, que

Sancho debería entregar a la sobrina de Don Quijote, según la cual ella le daría tres pollinos en pago de sus servicios como escudero.

Pidió Sancho la bendición a su señor y se puso en camino del llano.

Saliendo al camino real, se puso en busca del Toboso; y al otro día llegó a la venta donde Don Quijote había fabricado él bálsamo de Fierabrás. En esto que él se acercaba a la venta, salieron de ella dos personas que luego le reconocieron.

Eran el cura y el barbero de su mismo lugar. Deseosos de saber de Don Quijote, se fueron a él diciéndole:

—Amigo Sancho Panza, ¿a dónde queda vuestro amo?

Sancho les respondió que su amo quedaba ocupado en cierta parte y en cierta cosa que le era de mucha importancia, la cual él no podía descubrir por los ojos que en la cara tenía.

—No, no, Sancho Panza —dijo el barbero—; si vos no decís dónde queda imaginaremos, como ya imaginamos, que vos le habéis matado y robado.

Asustado, Sancho les contó
todo: las primeras aventuras
que le habían sucedido con su
amo; y cómo llevaba la carta a
la señora Dulcinea del Toboso,
de quien su amo estaba enamorado hasta los hígados.

Quedaron admirados los dos
de lo que Sancho les contaba.
Y le pidieron que les enseñase
la carta que llevaba.

56

Fue entonces, al ir a buscarla, cuando Sancho Panza vio que la había perdido.

Pero el cura, dijo:

—Lo que ahora se ha de hacer es sacar a vuestro amo de aquella inútil penitencia.

Entre los tres elaboraron un plan. Se vestiría el cura con hábito de doncella andante, y el barbero haría las veces de escudero. Así llegarían hasta Don Quijote. El cura, fingiendo ser doncella, le pediría un don: que viniese con ella para deshacerle un agravio que un mal caballero le tenía hecho.

La idea pareció tan buena que luego la pusieron por obra.

Apenas hubo salido de la venta, le vino al cura un pensamiento: que hacía mal en vestirse de aquella manera, por ser cosa inadecuada que un sacerdote se vistiese así. Se lo dijo al barbero y se cambiaron de traje, haciendo pues el barbero de doncella.

Al otro día llegaron adonde Sancho había dejado puestas unas señales para acertar el lugar donde había dejado a su señor. Sancho entró por las quebradas de la sierra. El cura y el barbero quedaron de esperarle en un lugar por donde corría un pequeño y manso arroyo, a la sombra agradable y fresca de algunos árboles.

Estando, pues, los dos allí,
vieron venir hacia ellos dos via-
jeros perdidos en la sierra. Se
trataba de un cierto sujeto llamado Cardenio y una hermosa
labradora llamada Dorotea. El
barbero les contó lo que pasaba con Don Quijote, y también
les refirió su plan para sacarle
de allí y llevarle a su casa. Entonces Dorotea dijo que ella
haría de doncella en lugar del
barbero, y que lo podría hacer
muy bien, porque había leído
muchos libros de caballerías.

58

Dorotea se vistió con unas ropas vistosas y se puso un collar y otras joyas que llevaba en una cajita. En un instante se adornó, de manera que parecía una rica y gran señora.

Llegó entonces Sancho dando voces. Le preguntaron por Don Quijote. Les dijo que le había hallado flaco, amarillo y muerto de hambre.

Sancho, asombrado al ver a Dorotea, preguntó al cura quién era aquella ilustre señora y qué buscaba por aquellos andurriales.

—Esta señora —respondió el cura—, Sancho hermano, es la heredera por línea recta de varón del gran reino de Micomicón. Viene en busca de vuestro amo para que le deshaga un agravio que un mal gigante le tiene hecho. Se llama la princesa Micomicona.

Sin más razones, se pusieron todos en camino, guiados por Sancho. Tres cuartos de legua habían andando cuando descubrieron a Don Quijote entre unas intrincadas peñas.

Dorotea, después que Sancho le dijo que aquél era Don Quijote, se fue a hincar de rodillas ante él y le habló de este modo:

—De aquí no me levantaré, ¡oh, valeroso y esforzado caballero!,

hasta que vuestra bondad y cortesía me otorgue un don, el cual redundará en honra de vuestra persona y en pro de la más desconsolada y agraviada doncella que el sol ha visto.

—No os responderé palabra, hermosa señora —respondió Don Quijote—, ni oiré más, hasta que os levantéis de tierra.

—No me levantaré, señor —respondió la afligida doncella—, si primero no me es otorgado el don que pido.

Y estando en esto, se llegó Sancho Panza al oído de su señor y le dijo:

—Bien puede vuestra merced concederle el don que pide, que no es cosa de nada: sólo es matar a un gigantazo, y ésta que lo pide es la alta princesa Micomicona, reina del gran reino de Micomicón.

Don Quijote, volviéndose a la doncella, dijo:

—Vuestra gran hermosura se levante, que yo le otorgo el bien que quisiere pedirme.

—Pues el que pido es —dijo la doncella— que vuestra magnánima persona venga en cuanto antes conmigo. Tiene que darme venganza de un traidor que, contra todo derecho divino y humano, ha usurpado mi reino. Y vuestra merced tiene que prometer que no se entretendrá en ninguna otra aventura hasta haber cumplido la venganza.

—Digo que así lo otorgo —respondió Don Quijote, y pidió a Sancho que pusiese las cinchas a Rocinante y que le armase a él, añadiendo:

—Vamos de aquí, en nombre de Dios, a favorecer a esta gran señora.

Todo lo habían presenciado entre unas rocas los otros. No sabían qué hacer para juntarse con ellos. Fue el cura quien imaginó un plan.

Ellos se pusieron en el llano a la salida de la Sierra. Cuando salió de ella Don Quijote y sus camaradas, el cura se le puso a mirar muy despacio, dando señales de que le iba reconociendo. Al cabo se fue a él con los brazos abiertos y diciendo a voces:

—Para bien sea hallado el espejo de la caballería, mi buen compañero Don Quijote de la Mancha, la flor y nata de la gentileza, el amparo

y remedio de los menesterosos, la quintaesencia de los caballeros andantes.

Diciendo esto, tenía abrazado por la rodilla de la pierna izquierda a Don Quijote; el cual, maravillado de lo que veía y oía decir y hacer a aquel hombre, se le puso a mirar con atención. Al fin le conoció y quedó como espantado al verle. Fue a apearse, pero el cura no se lo consintió.

—Esto no lo consentiré yo de ningún modo —dijo—. Estése vuestra grandeza a caballo, pues estando a caballo acaban las mayores hazañas y aventuras que en nuestra edad se han visto; que a mí, aunque indigno sacerdote, me bastará subir a las ancas de una de las mulas de estos señores que con vuestra merced caminan.

Antes de emprender la marcha, Don Quijote dijo a la doncella:
—Vuestra grandeza, señora mía, guíe por donde más gusto le diere.
Antes que ella respondiese, dijo el licenciado:
—¿Hacia qué reino quiere guiar vuestra señoría? ¿Es, por ventura, hacia el de Micomicón? Que sí debe ser, o yo sé poco de reinos.

Ella, que estaba bien en todo, entendió que debía responder que sí, y dijo:
—Sí, señor, hacia ese reino es mi camino.
—Si así es —dijo el cura—, por la mitad de mi pueblo hemos de pasar, y desde allí tomará vuestra merced el camino de Cartagena, donde podrá embarcar con la buena ventura.

LA BATALLA DE LOS CUEROS DE VINO
Y EL RETORNO DE DON QUIJOTE A SU ALDEA

Llegaron todos al otro día a la venta. La ventera, el ventero, su hija y la criada Maritornes, que vieron venir a Don Quijote y a Sancho, les salieron a recibir con muestras de mucha alegría.

Don Quijote les dijo que le preparasen un lecho mejor que el de la vez pasada. La ventera le respondió que, como la pagase mejor que la otra vez, se lo daría de príncipes. Don Quijote dijo que sí pagaría, y así le prepararon uno razonable; y él se acostó luego, porque venía muy quebrantado y falto de sueño.

Hizo el cura que les preparasen de comer. Estaban hablando de las

65

extrañas cosas que le habían sucedido a Don Quijote, cuando entró Sancho Panza todo alborotado, diciendo a voces:

—Acudid, señores, y socorred a mi señor, que anda envuelto en la más reñida batalla que mis ojos han visto. Ha dado tal cuchillada al gigante enemigo de la princesa Micomicona, que le ha cortado la cabeza de cuajo.

—¿Qué decis, hermano? —dijo el cura—. ¿Estáis en vos, Sancho? ¿Cómo puede ser eso que decís, estando el gigante a dos mil leguas de aquí?

En esto oyeron un gran ruido en el aposento, y que Don Quijote decía a voces:

—¡Tente, ladrón, malandrín, que aquí te tengo y no te ha de valer tu cimitarra!

Y parecía que daba grandes cuchilladas por las paredes. Y dijo Sancho:

—No tienen que pararse a escuchar. Entren a ayudar a mi amo. Aunque ya no hará falta, porque, sin duda alguna, el gigante está ya muerto y dando

cuenta a Dios de su pasada y mala vida; que yo vi correr la sangre por el suelo y la cabeza cortada y caída a un lado, que es tan grande como un gran cuero de vino.

—Que me maten —dijo entonces el ventero—, si Don Quijote o don diablo no ha dado alguna cuchillada en alguno de los cueros de vino tinto que estaban llenos a su cabecera. Y el vino derramado debe ser lo que le parece sangre a este buen hombre.

Entró en el aposento, y todos tras él. Hallaron a Don Quijote con el más extraño traje del mundo. Estaba en camisa; las piernas eran muy largas y flacas, llenas de vello, y nada limpias; tenía en la cabeza un gorro colorado y grasiento, que era del ventero; en el brazo izquierdo tenía envuelta la manta de la cama; y en la mano derecha, la espada desenvainada, y con la cual daba cuchilladas a todas partes, diciendo

palabras como si verdaderamente estuviera peleando con algún gigante.

Y lo bueno es que no tenía los ojos abiertos. Estaba durmiendo y soñando que estaba en batalla con el gigante. Y había dado tantas cuchilladas a los cueros de vino, creyendo que las daba al gigante, que todo el aposento estaba lleno de vino.

El ventero, lleno de enojo, arremetió contra Don Quijote. Y lo hubiera matado a puñetazos de no intervenir el cura y Cardenio.

Sancho andaba buscando la cabeza del gigante por el suelo, y como no la hallaba, dijo:

—Ya sé que todo lo de esta casa es encantamiento. Ahora no aparece la cabeza que vi cortar con mis mismísimos ojos, y la sangre que corría del cuerpo como de una fuente.

70

—¿Qué sangre ni qué fuentes dices, enemigo de Dios y de los Santos? —dijo el ventero—. ¿No ves, ladrón, que la sangre y la fuente no son otra cosa que los cueros de vino?

El barbero, entre tanto, trajo un gran caldero de agua fría del pozo, y se lo echó por todo el cuerpo de golpe a Don Quijote.

Tenía el cura en las manos al pobre caballero, el cual, creyendo que ya había acabado la aventura y que se hallaba delante de la princesa Micomicona, se hincó de rodilla ante él, diciendo:

—Bien puede vuestra grandeza, alta y famosa señora, vivir segura, que no le podrá ya hacer mal esta mal nacida criatura.

—¿No lo dije yo? —dijo oyendo esto Sancho—. Sí, que no estaba yo

borracho: ¡mirad si tiene puesto ya en sal mi amo al gigante!

¿Quién no había de reír con
los disparates de los dos, amo
y mozo? Todos reían, salvo el
ventero, que votaba a Satanás.

Pero el cura le calmó, prome-
tiéndole satisfacer su pérdida,
así de los cueros como del vino.

Permanecieron en la venta
dos días. Pasado este tiempo,
hicieron los preparativos para
llevarse a Don Quijote y procu-
rar la cura de su locura en su
tierra.

Llegaron a un acuerdo con
un carretero de bueyes, que
acertó a pasar por allí. Hicieron una jaula de palos enreda-
dos, en la que pudiese caber
holgadamente Don Quijote.
Luego se cubrieron los rostros

y se disfrazaron, de modo que a Don Quijote le pareciese ser otra gente que la que él conocía.

Hecho esto, con grandísimo silencio, entraron donde él estaba durmiendo. Se acercaron a él y, sujetándole fuertemente, le ataron muy
bien las manos y los pies. Cuando despertó, con sobresalto, no pudo
menearse ni hacer otra cosa que admirarse de ver ante sí tan extraños
rostros. Creyó que todas aquellas figuras eran fantasmas del castillo y
que, sin duda alguna, ya estaba encantado, pues no se podía menear ni
defender.

Sancho no dejó de conocer quiénes eran todas aquellas contrahe-
chas figuras, mas no osó descoser su boca.

Trajeron allí la jaula, le encerraron dentro y le clavaron los
maderos tan fuertemente que no se pudieran romper. Al salir del apo-

sento se oyó una voz temerosa —fingida por el barbero—, que decía:

—¡Oh, Caballero de la Triste Figura! No te de cuidado la prisión en que vas, porque así conviene para acabar antes la aventura en que tu gran esfuerzo te puso.

Cuando Don Quijote se vio encima del carro, metido en la jaula, dijo:

—Muchas y muy graves historias he leído de caballeros andantes; pero jamás he leído, ni visto, ni oído que a los caballeros encantados los lleven de esta manera. Porque siempre les suelen llevar por los aires, encerrados en alguna oscura nube, o en algún carro de fuego. Que me lleven a mí ahora en un carro de bueyes, ¡vive Dios que me pone en confusión! Pero quizá la caballería y los encantos de nuestros tiempos deben seguir otro camino que siguieron los antiguos.

Al cabo de seis días llegaron a la aldea de Don Quijote. Entraron hacia mediodía, y resultó que era domingo. La gente estaba toda en la plaza, por medio de la cual atravesó el carro de Don Quijote.

Un muchacho fue a avisar al ama y a la sobrina de que su tío venía flaco y amarillo, tendido en un montón de heno y sobre un carro de bueyes. Cosa de lástima fue oír los gritos que las dos pobres señoras alzaron, las bofetadas que se dieron, las maldiciones que de nuevo echaron a los malditos libros de caballerías.

También acudió la mujer de Sancho Panza. Así como vio a Sancho, lo primero que le preguntó fue que si venía bueno el asno.

Sancho respondió que venía mejor que su amo.

LA TERCERA SALIDA DE DON QUIJOTE

El cura y el barbero estuvieron casi un mes sin ver a Don Quijote, por no traerle a la memoria las cosas pasadas. Pero no por esto dejaron de visitar a su sobrina y a su ama, encargándoles se esmeraran en regalarle dándole a comer cosas apropiadas para el corazón y el cerebro, de donde procedía toda su mala ventura. Ellas lo hacían así, con la mejor voluntad del mundo, y estaban contentas de ver que su señor, por momentos, daba muestras de estar en su entero juicio.

Le visitaron por fin un día el cura y el barbero. Don Quijote les recibió muy bien. Le preguntaron por su salud y él les habló de sí con elegantes palabras. Luego se pusieron a platicar sobre muchas cosas.

Se hallaban presentes la sobrina y el ama, y no se hartaban de dar gracias a Dios de ver a su señor tan juicioso.

Pero al cura, hablando y hablando de unas cosas y de otras, se le

75

ocurrió contar algunas nuevas de la Corte. Entre otras, dijo que se tenía por cierto que el Turco bajaba con una poderosa armada; y que, con este temor estaba en armas toda la cristiandad. Y su majestad había hecho proveer las costas de Nápoles y Sicilia y la isla de Malta.

A esto respondió Don Quijote:

—Su majestad ha obrado como prudentísimo guerrero, porque no le halle desapercibido el enemigo. Pero, si tomara mi consejo, le aconsejaría yo que usara de una prevención, en la cual es seguro que su majestad no ha pensado.

El barbero dijo que cuál era la prevención; quizá era alguno de los muchos consejos impertinentes que se suelen dar a los príncipes.

—El mío, señor rapador —dijo Don Quijote—, no será impertinente, sino muy pertinente.

A lo cual replicó el barbero:

—La experiencia demuestra que todos o la mayoría de los consejos que se proponen a su majestad, o son imposibles o disparatados, en daño del rey o del reino.

—Pues el mío —respondió Don Quijote— ni es imposible ni disparatado.

—Ya tarda en decirlo vuestra merced, señor Don Quijote —dijo el cura.

—No querría —dijo Don Quijote— decirlo yo ahora y que amaneciese mañana en los oídos de los señores consejeros, llevándose otros las gracias y el premio de mi trabajo.

—Por mí —dijo el barbero—, doy palabra de no decirlo ni a rey ni a roque.

Don Quijote dijo entonces:

—¿Qué va a ser? ¿Hay cosa mejor que mandar su majestad por público pregón que se junten en la Corte para un día señalado todos los caballeros andantes que vagan por España? Aunque no viniesen más que media docena, podría ser suficiente para que entre ellos destruyesen todo el poder del turco. ¿Es algo nuevo que un solo caballero andante pueda deshacer un ejército de doscientos mil hombres?

—¡Ay! —dijo la sobrina al oírle—. ¡Que me maten si no quiere mi señor volver a ser caballero andante!

A lo que dijo Don Quijote:

—Caballero andante he de morir, y otra vez digo que Dios me entiende.

El ama y la sobrina se fueron y Don Quijote quedó discutiendo con el cura, quien afirmaba que los caballeros andantes no habían sido personas de carne y hueso, sino fábula y mentira.

En esto oyeron que el ama y la sobrina daban grandes voces en el patio, y acudieron todos al ruido.

Vieron que a quien gritaban era a Sancho Panza, que trataba de entrar a ver a Don Quijote. Le decían:

—¿Qué quiere este mostrenco en esta casa? Idos a la vuestra, hermano, que vos sois, y no otro, el que distrae y sonsaca a mi señor.

A lo que Sancho respondió:

—Ama de Satanás, el engañado soy yo. El me sacó de mi casa con engañifas, prometiéndome una ínsula que aún espero.

Don Quijote, que le oyó, le llamó e hizo que le dejasen pasar. Se encerró con él en su aposento y, estando solos, le dijo:

—Dime, Sancho amigo: ¿qué dicen de mí por este lugar? ¿En qué opinión me tiene el vulgo, en qué los hidalgos y en qué los caballeros?

—Pues lo primero —dijo Sancho—, es que el vulgo tiene a vuestra merced por grandísimo loco, y a mí por no menos mentecato. Y yo le traeré a quien puede decir todas las cosas que por ahí dicen de vuestra merced. Anoche llegó el hijo de Bartolomé Carrasco, que viene de estudiar de Salamanca, hecho bachiller. Yéndole yo a dar la bienvenida, me dijo que andaba ya en libros la historia de vuestra merced, con el

nombre de *El ingenioso hidalgo Don Quijote de la Mancha.*

Quiso Don Quijote ver y hablar con el bachiller, y mandó a Sancho en busca de él. Después de oír del bachiller que era cierto que circulaba un libro con la relación, detallada, de los garrotazos que él y su escudero habían recibido en sus aventuras, Don Quijote se puso muy contento.

En esto llegaron a sus oídos relinchos de Rocinante, los cuales tomó por felicísimo agüero. Y determinó hacer otra salida.

Declarando su intento al bachiller Sansón Carrasco, le pidió consejo de a qué parte ir. El bachiller le dijo que fuese al reino de Aragón y a la ciudad de Zaragoza, donde iban a celebrarse unas solemnísimas justas.

—De lo que yo aviso a mi señor —dijo Sancho—, es que, si me ha de llevar, ha de ser con la condición de que él se lo ha de batallar todo.

—Vos, hermano Sancho —dijo Carrasco—, confiad en Dios y en que el señor Don Quijote os ha de dar un reino y no una ínsula.

Y quedaron en que la partida sería de allí a ocho días.

EL ENCUENTRO CON DULCINEA
Y EL CABALLERO DE LOS ESPEJOS

Salieron, pues, de su lugar, nuevamente, Don Quijote y Sancho Panza, habiendo aplacado antes el uno a su sobrina y a su ama y el otro a su mujer. Y se pusieron camino de el Toboso.

—Antes que meterme en otra aventura —dijo Don Quijote—, he de ir a el Toboso. Allí tomaré la bendición de la sin par Dulcinea.

Pasó aquella noche y el día siguiente sin que les aconteciese nada. Al anochecer del otro día descubrieron la gran ciudad de el Toboso, con cuya vista se le alegró el espíritu a Don Quijote y se le entristeció a Sancho. Porque no sabía él la casa de Dulcinea, ni en su vida la había visto, como no la había visto su señor.

Medianoche era, poco más o menos, cuando Don Quijote y

Sancho dejaron el monte y entraron en el Toboso. Estaba el pueblo en silencio, porque todos sus vecinos dormían y reposaban a pierna suelta. Sólo se oían ladridos de perros, el rebuznar de un jumento, de cuando en cuando, el gruñir de algún puerco, o el maullido de algún que otro gato. Todo lo cual le pareció de muy mal agüero a Don Quijote.

—Sancho, guíame al palacio de Dulcinea —pidió a su escudero.

—¿A qué palacio? —dijo Sancho—. Guíe vuestra merced.

Guió Don Quijote y, doscientos metros más allá, se detuvieron ante un edificio con una torre alta, que hacía sombra en la noche. Era la iglesia del pueblo.

—Con la iglesia hemos dado, Sancho.

—Ya lo veo. Y quiera Dios que no demos con nuestra sepultura.

Vieron que venía a pasar por donde estaban uno con dos mulas. Era un labrador que había madrugado para ir a su labranza. Don Quijote le preguntó:

—¿Sabréis decirme, buen amigo, dónde están los palacios de la sin par princesa doña Dulcinea del Toboso?

—Señor —respondió el mozo—, yo soy forastero. Estoy sirviendo a un labrador rico. Pero esta casa de aquí es donde viven el cura y el sacristán. Ellos os sabrán decir, aunque no creo que en todo el pueblo viva una princesa. Muchas señoras, sí, y cada una en su casa puede ser princesa.

Y arreando a sus mulas, no atendió a más preguntas.

Sancho Panza, que veía venir el lío de ponerse a buscar lo que no existía, habló así a su amo:

—Señor, ya viene el día, y no será bueno que nos coja el sol en la calle. Mejor salgamos fuera de la ciudad. Vos os emboscaréis en el monte, y yo volveré de día.

Y lo hicieron así. A dos millas del lugar, hallaron una floresta, y Don Quijote se emboscó, en tanto que Sancho volvía a la ciudad a hablar con Dulcinea. Como estaba en un verdadero lío, porque jamás podría encontrar a una persona que sólo existía en la imaginación de su señor, después de pensar un buen rato, se le ocurrió una idea:

—Mi amo es un loco de atar —se dijo—. Y en su locura a veces toma unas cosas por otras, y juzga lo blanco por negro y lo negro por blanco. No será muy difícil hacerle creer que una labradora, la primera que me encuentre por ahí, es la señora Dulcinea.

Entonces vio que de el Toboso venían tres labradoras sobre tres pollinos. En seguida dio media vuelta y fue en busca de su señor.

Cuando Don Quijote le vio, le dijo:

—¿Qué hay, Sancho amigo? ¿Traes buenas nuevas?

—Tan buenas —respondió Sancho—. Ya puede salir vuestra merced a ver a la señora Dulcinea de el Toboso, que con otras dos doncellas suyas viene a veros.

Salieron de la selva y descubrieron de cerca a las tres aldeanas.

—Ahí las tiene vuestra merced —indicó Sancho—, resplandecientes como el sol al mediodía.

—Yo no veo, Sancho —dijo Don Quijote—, sino a tres labradoras sobre tres borricos.

84

—Calle, señor; despabile esos ojos y venga a hacer reverencia a la señora de sus pensamientos, que ya llega.

Sancho se adelantó a recibir a las tres aldeanas. Cojió por el cabestro al jumento de una de ellas, hincando ambas rodillas en el suelo.

Don Quijote se puso también de rodillas, al lado de su escudero, y miraba con ojos turbios a la que Sancho llamaba reina y señora. Pero como no veía en ella sino a la moza aldeana que era, estaba admirado, sin desplegar los labios.

Las labradoras estaban asimismo atónitas. Hasta que la

detenida toda mohina, dijo:

—Apártense del camino, que vamos de prisa.

Y don Quijote dijo a su vez:

—Levántate, Sancho.

Sancho se apartó y dejó pasar a las tres labradoras, contentísimo de haber salido bien de su enredo. Don Quijote se lamentaba, triste:

—Sancho, mira hasta dónde llega la malicia y ojeriza que me tienen los encantadores. ¡Oh, canalla! ¡Oh, encantadores mal intencionados, quién os viera a todos ensartados por las agallas, como las sardinas!

Volvieron luego a subir en sus bestias y siguieron el camino de Zaragoza. La noche que siguió la pasaron debajo de unos altos y sabrosos árboles.

Gran parte de la noche la pasaron hablando. Finalmente, Sancho se quedó dormido al pie de un alcornoque, y Don Quijote dormitando contra una robusta encina.

Pero al poco tiempo despertó a Don Quijote un ruido a sus espaldas. Levantándose con sobresalto, se puso a mirar y a escuchar. Vio que eran dos hombres a caballo, y que uno, bajando de su silla, decía al otro:

—Apéate, amigo. En este sitio hay hierba abundante para los caballos, y el silencio y la soledad son buenos para mis amorosos pensamientos.

Don Quijote, oyéndole, le tomó por un caballero andante. Se llegó hasta Sancho y le despertó, diciéndole:

—Hermano Sancho, aventura tenemos.

—Dios nos la dé buena —respondió Sancho.

Se aproximaron los dos, y oyeron decir al otro caballero, en tono de queja lastimera:

—¡Oh, la más hermosa y la más ingrata mujer del orbe, Casildea de Vandalia! ¿No basta ya que haya hecho que te confiesen por la más hermosa del mundo todos los caballeros de Navarra, todos los leoneses, todos los tartesios, todos los castellanos y, finalmente, todos los caballeros de la Mancha?

—Eso no —dijo entonces Don Quijote—, que yo soy de la Mancha y nunca tal he confesado. Ni podía ni debía confesar una cosa tan perjudicial a la belleza de mi señora.

Habiendo entreoído el caballero del bosque que hablaban cerca de él, se puso en pie y dijo:

—¿Quién va allá? ¿Qué gente? ¿Es por ventura de la del número de los contentos o de la del de los afligidos?

—De los afligidos —respondió Don Quijote.

—Pues lléguense a mí —respondió el del bosque.

Asió del brazo a Don Quijote, y añadió:

—Sentaos aquí, señor caballero. Me basta haberos hallado en un lugar como éste para saber que sois un caballero andante.

—Caballero soy y de la profesión que decís —asintió Don Quijote—. Y por lo que os oí, bien conozco lo que son vuestras penas de amores.

—¿Por ventura —preguntó el caballero—, sois enamorado?

—Por desventura lo soy.

El del bosque se puso a hablar en tono grave:

—Quiero que sepáis que el destino me trajo a enamorarme de la sin par Casildea de Vandalia, quien pagó mis buenos pensamientos con hacerme correr muchos y diversos peligros. Ultimamente, me ha mandado que vaya por todas las provincias de España, y que haga confesar a todos los caballeros andantes que ella es la más hermosa de cuantas existen hoy. Me llaman el Caballero de los

Espejos. He andado la mayor parte de España, y he vencido a todos los caballeros que se atrevieron a contradecirme. Pero de lo que más me precio y ufano es de haber vencido en singular batalla a aquel tan famoso caballero Don Quijote de la Mancha, haciéndole confesar que es más hermosa mi Casildea que su Dulcinea.

Admirado, Don Quijote repuso:

—Tal vez vuestra merced haya vencido a otro que se le pareciese, pero no a Don Quijote de la Mancha.

—¿Cómo no? —replicó el del bosque—. Por el cielo que nos cubre, que peleé con Don Quijote y le vencí y rendí.

—No es esa la verdad —protestó el de la Triste Figura—. Y si no os basta mi palabra, aquí está el mismo Don Quijote, que la mantendrá con sus armas, a pie, a caballo, o como lo prefiráis vos.

Diciendo esto se levantó y empuñó la espada. Pero el caballero del bosque dijo:

—Es mejor que esperemos al día.

Y se fueron ambos, confor-
mes, a donde estaban sus escu-
deros. Les pidieron que tuvie-
sen a punto los caballos para el
duelo.

Sancho quedó atónito, pero
sin hablar se fue a preparar a
Rocinante.

Salió el sol y los dos caballeros se prepararon. Sancho,
asustado, pidió a Don Quijote
que le ayudase a subir a un alcornoque, con la disculpa de
que desde allí podría ver mejor.

Estaba ayudando Don Qui-
jote a su escudero, cuando el
otro caballero, sin esperar son
de trompeta ni otra señal de
aviso, espoleó a su caballo, que
no era más ligero y tenía mejor
pinta que la de Rocinante. Sin
embargo, al ver que Don Quijote estaba ayudando a Sancho,
se detuvo a mitad de camino.
Pero no contó eso para nuestro caballero. Le pareció que
ya su enemigo venía volando.
Arrimó las espuelas a Rocinante con tal ímpetu que, cuenta la historia, esta fue la única
vez que se supo corría algo.

Con esta furia llegó hasta el otro, que no era capaz de hacer moverse a su caballo. Y tampoco le dio tiempo a poner la lanza en ristre. De esta manera, Don Quijote le arremetió con tanta fuerza que le tiró al suelo, haciéndole saltar por las ancas del caballo. Y quedó tendido en el suelo, sin mover pie ni mano, como muerto.

Sancho se apeó a toda prisa del alcornoque y fue corriendo hasta donde su señor.

Don Quijote se apeó de Rocinante y fue a ver si el vencido enemigo estaba muerto. Grande fue su sorpresa cuando, al destaparle la cara, quitándole el yelmo, descubrió que no era otro que el bachiller Sansón Carrasco.

Entonces Sancho dijo:

—Lo mejor que vuestra merced puede hacer, es meter la espada por la boca a éste que parece ser el bachiller; quizá matará en él a alguno de sus enemigos hechiceros.

—No dices mal —dijo Don Quijote.

Sacando la espada, iba a poner en efecto el consejo de Sancho, cuando se llegó a ellos, corriendo, el escudero del otro. Y a grandes voces, dijo:

—Mire vuestra merced lo que hace, señor Don Quijote: que éste que tiene a sus pies es el bachiller Sansón Carrasco, su amigo.

Viéndole Sancho a la luz del día, y sin unas enormes y feas narices que se había puesto el otro de disfraz, le reconoció:

—¡Santa María! ¿Este no es Tomé Cecial, mi vecino y compadre?

—Tomé Cecial soy, compadre y amigo Sancho Panza.

En esto volvió en sí el caballero vencido. Don Quijote le puso la punta desnuda de su espada en el rostro y le dijo:

—Muerto sois, caballero, si no confesáis que la sin par Dulcinea de El Toboso aventaja en belleza a vuestra Casildea de Vandalia.

—Confieso —dijo el caído— que vale más el zapato descosido y sucio de la señora Dulcinea de El Toboso, que las barbas mal peinadas, aunque limpias, de mi Casildea.

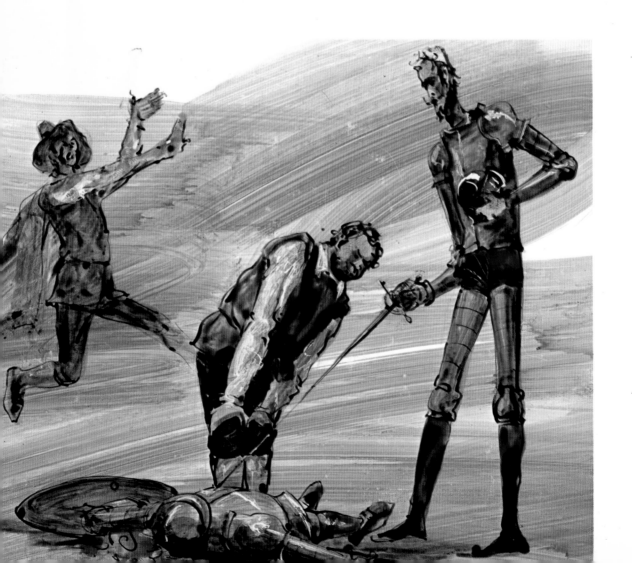

—También habéis de confesar y creer —añadió Don Quijote—, que aquel caballero que vencisteis no fue ni pudo ser Don Quijote de la Mancha, sino otro que se le parecía.

—Todo lo confieso —respondió el caballero—. Mas dejadme levantar, os ruego, si es que lo permite el golpe de mi caída, que bastante maltrecho me tiene.

Después de este hecho, con gran alegría y contento seguía Don Quijote su jornada, buscando más aventuras. Por la pasada victoria, se imaginaba ser el caballero más valiente que había en su tiempo en el mundo. No se acordaba de los innumerables palos que en sus andanzas le habían dado. Y tampoco pensaba en los que aún había de recibir.